모리아 MASTER

하이어라키 4

발　행 | 2024년 01월 01일
저　자 | 모리아 대사
번　역 | 임창균
편　집 | 정재훈
펴낸이 | 최일해
펴낸곳 | 매직머니
출판사등록 | 제2019-000009호
주　소 | 경기도 양주시 고암길 154-21
전　화 | 010-2231-9977
이메일 | sita7@naver.om

ISBN | 979-11-92435-14-5

정　가 | 12,000원

HIERARCHY 4

그렇다면 주의력은 어디로 쏠려 있는가?
완벽을 향한 과정은 진화의 기초를 이루고 있음을
알아야 한다. 그 과정은 사람들이 상위 세계들과
직접 교감하고 단순해지라고 요구한다.

프라나 야마와 여러 요가에서 사용하는 인위적인
방법을 단순하면서도 불타는 가슴의 길로 어떻게
대체할지 볼 수 있을 것이다.

이러한 단순함은 상대적이다.

불의 길은 단순함을 실현할 수 있게 해준다.
이 길이 추상적이고 허구적이라며 거부했던 바로
그것을 삶에 가져다준다.

나는 지식에 대한 노력이 서둘러 완수되어야 한다고 생각한다.

 왜 우리가 진화를 위해 노력하도록 강제하지 않을까?

 간호사는 아이에게 이렇게 말한다.

 "어린애처럼 굴면 안 돼. 혼자 힘으로 해보렴!"

 사람들이 한 일의 결과물이 공간을 가득 채우고 있음을 인류가 알게 될 때 지구를 치유할 수 있게 될 것이다.

 마치 가스처럼 인류는 지구를 오염시키고 대기를 탁하게 한다. 따라서 명백한 결과물에 대해 곰곰이 생각해야 한다.

 인류는 카르마의 방식으로 구원이 이루어져야 함을 잊었다. 그러므로 축적된 각각의 단계는 하이어라키의 최상의 법칙에 다가가려고 노력함으로써 바뀔 수 있다.

 위대한 하이어라키 조직은 전 세계에 생명을 불어넣는데, 이 법칙을 받아들이면 에너지에 다가갈 새로운 길을 열 수 있다.

 이렇게 하면 더 나은 단계를 마련할 수 있다.

각각의 개념은 그 자체의 균형 상태를 가지고 있다.

하이어라키에 대한 존경은 서약을 이해하는 데 그 자체의 균형 상태를 가지고 있는 것이다.

하이어라키에 대한 존경이 위를 향한다면, 서약은 아래를 향한다.

서약의 드라빔도 존재한다.
그대는 드라빔을 통해 서약을 보았다.
따라서 하이어라키를 자각할 때 그 서약은 쉽게 깨질 수 없다.

나는 스승이 변하지 않듯이 서약도 변치 않음을 증언한다. 그러므로 스승이라는 단어를 헛되게 발음하지 말라.

발음하면서 이 은줄이 끊어질까 생각하지 마라.

겉으로 드러난 모습은 단순한 사례를 통해 결과를 깨달을 수 있다.

고무줄을 벽에 단단히 붙인 다음, 눈을 감은 채 힘껏 당겨 보라. 그러면 멍이 생기게 될 것이다.

여기에 초자연적인 것은 없다.

그렇다면 은줄을 자르면 어떤 결과가 초래될까? 겁많고 짓궂은 의식이 다시 한번 위협에 대해 말할 것이다.

부적절하게 다루면 어떤 법칙이나 기계도 불쾌한 일의 원인이 된다.

300

스승이라는 신성한 개념을 현명하게 다루는 법을 사랑으로 가르쳐야 한다.

30세켈로 여러 스승을 모실 수는 없다.
마찬가지로 제자를 현명하게 골라야 한다.
똑같은 은줄이 스승과 제자를 연결한다.

서약을 맹세하면 카르마의 토대가 된다.
인생에서 일어나는 일을 통해 서약이 얼마나 변치 않는지 알게 될 것이다.
법칙을 몰랐다고 핑계를 댈 수는 없다.
따라서 쪽마다 이것을 되풀이 말하는 것이 극악한 실수를 허용해 혐오스러운 결과의 흔적을 남기는 것보다 낫다.

그 법칙을 반드시 이해해야 한다.
이 충고를 가슴으로 받아들여라.
이가 혀를 가두어 두는 것은 이유가 있다.

장엄한 때가 되었다!

모세가 산 위에서 석판을 준비하고 있을 때

산 아래 사람들은 광기에 쌓여 있었다.

그렇게 하여 부정한 송아지상은 최고의 약속 앞에 파괴된 것이다.

하이어라키를 위한 단호함

302

사람들의 노력은 빛을 향해서든 어둠을 향해서든 그들이 한 봉사에 따라 평가된다.
이를 통해 인생의 운명이 결정된다.
어정쩡하게 생각하고 노력하는 것이 최악이다.

세상을 파괴하는 자는 언제나 어정쩡하게 노력한다.

어정쩡하게 행동하는 하인보다 나쁜 건 없다. 어정쩡한 태도를 방패막이로 사용하기 때문이다.

그러므로 우리는 직접적인 빛의 적수를 오히려 더 낮게 평가한다.

안개 속에서 슬금슬금 기어다니는 작은 벌레는 대전투에 참여시키지 않는다.

따라서 어정쩡한 태도는 삼가야 한다.

언제나 어떤 식으로든 어정쩡한 사람과는 어울리지 말아야 한다.

어정쩡한 모습을 보이는 제자는 천 년이나 뒤처지게 된다. 그러므로 자신의 의식 상태가 어떤지 인식해야 한다.

이처럼 빛의 하인은 어정쩡한 태도를 보이지 않는다.

구도의 길을 걷기로 한 사람이 어정쩡한 상태에 빠지는 것이 가장 치명적이다. 생각과 행동이 따로 놀기 때문이다. 어정쩡한 태도는 가르침의 적이다.

하이어라키와 맺은 관계에서 어정쩡한 모습을 보이는 자는 이 파괴적인 태도를 버려야 한다.

진실성이 없으면 건설은 이루어질 수 없다.

제자는 온전한 노력이 얼마나 중요한지 이해해야 한다. 이를 위해서는 안락한 삶과 자만심, 자기연민과 자기기만을 버려야 하며 하이어라키에게 짐을 지워서는 안 된다.

주님과 하이어라키에게 의존하는 것을 봉사라고 착각하는 사람은 이를 꼭 기억하라.

마하트마는 위대한 영혼으로 번역할 수 있다.

어떤 사람은 마하트마를 완전히 다른 인종으로 생각하는데, 위대한 영혼을 그렇게 여기지 말아야 한다.

마하트마도 범인의 단계에서 출발해 의식 성장을 이루었다. 다만 용기를 내어 위대한 영혼이 되려는 힘든 길을 선택했을 뿐이다.

용기 냈을 뿐만 아니라 가슴 속에서 영(靈)의 분노를 발견했다. 그러지 않았다면 어떻게 그 불길을 지폈겠는가?

그러한 불 덕분에 귀중한 분비물이 치유의 물질로 바뀌는 것이다.

불의 존재의 타액이 어떻게 염증을 제거하고 감각이 없는 센터에 활력을 되찾아 주는지 알 수 있을 것이다.

분비물의 신비한 특성 옆에는 안수 의식의 치유력이 있다. 불의 물질의 분출과 함께 휴면기에 들어간 센터가 있는 사람들의 분비물을 비교하는 것은 유익하다.

보통 사람을 위해 식물 성분으로 만든 약물에 대해 충고할 때, 더 많은 것을 아는 사람을 위한, 신성한 불의 분비물을 연구하는 효과적인 실험실이 있는 것이다.

 내가 구술한 최근의 책은 아주 소수의 사람만이
내용을 이해할 수 있다.

 구세주의 타액이나 모세의 안수 행위의 신성한
특성을 누가 이해하겠는가?

 사람들은 불의 가슴을 인식하는 일에 익숙하지
않다.

 내 책은 태양의 뱀이 위로 올라가는 것을 벌써
느끼는 사람에게 도움이 될 것이다.

 태양의 뱀은 방출되는 불을 휘감는다.
 심장의 불이 분출되지 않은 채 지하의 불을 인
식하기란 불가능하다.

 그대는 요가 수행자가 배출하는 물질을 알고 있을
것이다. 이 물질은 다른 것으로 대체할 수 없다.

이 불의 기체는 방출된 이후에 공간의 불과 섞여야 한다.

하지만 요가 수행자는 우주불과 융합하는 이 일에 성공하는 일이 드물다.

우리는 이 상태를 신성한 존재라고 부른다.
상위 세계들의 불의 빛이 지구의 요가 수행자들의 광선과 융합되기 때문이다.

이것이 바로 마하트마에 도달하는 가장 빠른 길이다.

긴장을 두려워 마라.
이것은 같은 길이다.
괴로운 일을 당한다고 흔들리지 마라.
그것은 불에서 오는 것이다.
화내지 마라.
가슴은 이 뿌리를 싫어한다.

사건이 많이 벌어지면 그에 따라 지하의 불도 휘몰린다. 따라서 힘의 변화가 일어나면 우주불에 주목해야 한다.

어느 때는 재생이 일어나고, 어느 때는 변화가 일어난다.

어디서나 우주적 현현이 일어나고 공간의 불은 각각의 일시적인 과정을 가득 채운다.

인간의 능력은 상응하는 영(靈)에 따라 키워지며 동일한 끌어당기는 힘은 국가들의 변화를 통합한다.

그러므로 우주의 긴장은 모든 국가에 전달된다.

따라서 인류는 일반적인 확언을 끊을 수 없다. 최상의 법칙은 공익으로 이어지고 인간의 정신은 최상의 법칙에 다가가려고 노력해야 한다.

인류는 상위 법칙들의 아름다움을 이해해야 한다.

하이어라키를 제대로 이해하지 않고 존경하지 않는다면, 창조성으로 가는 길을 그 무엇이 알려줄 수 있겠는가?

하이어라키의 법칙을 준수하지 않는다면, 그 무엇이 영(靈)을 지고의 존재로 이끌 것인가?

하이어라키를 이해하지 않는다면, 그 무엇이 영을 진리의 현현을 향해 인도할 것인가?

이해력을 넓히려면 가슴 속으로 하이어라키를 받아들여야 하고 하이어라키의 지고의 법칙에 다가가려고 노력해야 한다.

308

경험 많은 선원은 죽은 듯이 조용한 바다를 보며 폭풍을 예견하고 얼굴을 찡그리고, 성공적으로 항해할 것을 인식하면서 세차게 몰아치는 바람을 느끼며 미소 짓는다.

이런 선원을 보며 바다를 안다고 말한다.

내적인 현현과 외적인 현현의 차이를 이해하는 법을 아는 사람을 보고 인생을 안다고 말한다.

어리석은 사람은 도자기 행상이 소리치는 모습을 보고 '반역'이라고 외치고, 시장 가게가 문 닫을 것을 보고 그 고요한 모습에 기뻐 어쩔 줄 모른다.

방종한 사람들의 생각은 무엇이 다른지 가르치고 관찰하는 것이 우리의 방식이다.

생각하는 법과 인생의 행로를 관찰하는 법을 학교에서 가르쳐야 한다.

어른보다 아이가 어떤 일의 숨겨진 의미를 더 잘 이해한다.

내면의 느낌을 따를 때만이 제대로 평가할 수 있다.

우리는 폭풍이 몰아치기 전에 고요함을 알지만, 커튼이 바람에 날리는 것에는 주의하지 않는다.

이처럼, 사건의 형성을 이해할 수 있다.

 빛의 힘과 어둠의 힘이 싸울 때, 각 진영의 궤도가 확립된다.
 빛의 진영을 육성하는 것이 긴장의 센터가 될 것이고, 빛의 목적은 어둠의 표적이 되는 것이다.

 그러므로 그 힘들이 충돌할 때, 센터에 존재하는 것들은 모두 보호되어야 한다.

 주된 공간의 불은 그 센터에 머무를 것이고, 방어막은 보호될 것이다.

 이와 같이, 빛의 궤도는 어둠을 에워싼다.

빛의 힘과 어둠의 힘이 팽팽할 때는 건강을 지켜야 한다.
공간의 불이 거세지고 어둠이 긴장하기 때문이다.

우리의 현현물 속에서 승리를 감지해야 한다.

오래되어 진화와 불의 시대에 적용할 수 없는 것들이
모두 무너져 내릴 때, 하나의 닻만 남을 것이다.

인류를 구원해 줄 이 닻은 바로 하이어라키라는
닻이다.

하이어라키라는 닻은 전체 사슬을 하나로 묶어
주고 온전한 힘을 줄 것이다.

따라서 하이어라키를 완전히 인정해야 한다.

어둠의 존재들이 어떻게 일하는지 지켜보자.
그들의 특이한 습관을 관찰할 필요가 있다.
그들은 별 볼 일 없는 사람에게는 화내지 않는다.

그들은 봉사의 첫 단계가 자신들에게 특히 도움
된다고 생각한다.

보잘것없는 사람은 반역해도 무시당한다.

반역죄는 어둠의 존재들이 약화시키는 주된 기초다.

반역을 위해서는 무언가를 알아야 한다.

이와 관련된 지식은 헌신으로 강화된 것이 아닌
데, 첫 번째 단계에서 발견된다.

비난은 동요하는 헌신자의 마음에 불처럼 작용한다.

눈에는 잘 띄지 않지만, 제자가 그럴듯한 변명거리를 찾아내 무관심의 상태에 빠지기 시작하는 것을 관찰하는 것은 애석한 일이다.

칼날처럼, 가슴은 보호망을 잃는다.

칼집이 없으면 칼에 베이게 되는데, 그러한 자극은 성공으로 이끌어 주지 않는다.

어느 날 스승을 비하했다면, 내일은 지고의 존재를 모독하지 않겠는가?

은줄이 끊어지면 경직화의 칼날은 돌이킬 수 없을 만큼 날카로워진다.

312

동요하는 사람들을 관찰할 필요가 있다.
그들로부터 전염되면 큰일이기 때문이다.

스스로 어둠의 집단에 동조하게 되고, 그들이 퍼
뜨린 모독 행위는 무고한 사람까지 해친다.

무관심을 경계하라.
그것이 준비 단계를 모두 좀먹으면 그 어떤 불이
무관심이라는 불감증에서 살아남겠는가?

스승을 인정하는 것은 꽃에 물을 주는 것이다.

정원에 물을 뿌리면 꽃은 시들지 않는다.

우리는 진보에 관심이 있다.
우리는 새로운 차원을 지지한다!
우리의 지지에 대한 무관심은 있을 수 없다!

하이어라키를 위한 가슴의 용기
313

영(靈)이 노력하려는 마음으로 가득할 때 무관심이 들어설 자리는 없다.
영이 열망으로 불타오를 때 무관심이 뿌리내릴 곳은 없다.
이러한 자질은 무관심에 면역력을 키워준다.

영이 자기중심주의에 빠져들 때 죽음을 맞이할 수 있다. 따라서 노력을 게을리해서 생긴 악이 둥지를 틀 때 무관심으로부터 영을 보호해야 한다.

그러지 않으면 악이 일격을 가한다.

무관심으로 인해 생겨난 악의 뿌리를 밝혀내기란 어렵다. 끊임없이 노력해야 자신을 보호할 수 있다.

그러므로 큰일을 할 때는 자기중심주의와 무관심을 받아들여서는 안 된다.

무엇보다 먼저 스승을 생각하라.

제자가 자신의 마음을 첫 번째 자리에 두면, 성공이 가능하겠는가? 우리는 위대한 이름 위에 모든 것을 세우지 않는가?

우리는 그 토대 위에 아름다움을 두지 않았는가?

우리는 세상을 위한 커다란 토대를 마련했다. 그러므로 각각의 생각은 커다란 구조의 기반에 따라 평가해야 한다.

진실로, 미래는 위대하다!

굳은 마음과 성취에 대한 완전한 자각으로 전사가 진보의 길을 알 때, 용기의 개념 가운데 최강의 것은 불타오르는 가슴의 용기다.

이러한 용기의 성취에서 극도의 필사적인 용기만이 비교할 만한 것이다.

불타오르는 가슴의 용기가 미래를 극복하는 속도와 동일한 속도로, 절실한 노력은 과거에서 벗어나게 해 준다.

불타오르는 가슴의 용기가 부족하면 절실한 용기를 가져라.

공격이 강할 때 전사는 승리할 수 있다.
용기의 다른 측면은 전부 중요하지 않다.
그 측면들은 불완전하기 때문이다.
이러한 측면들은 비겁한 행위와 반역 행위 다음으로 피해야 할 대상이다.

315

세상의 재편은 우주의 모든 힘을 강화한다.
재편을 위해서는 영이 노력해야 함을 인류가 알 때
세상을 균형 상태로 만드는 일이 쉬워질 것이다.
하지만 국가는 저울에 무엇을 달아야 하는지 그
리고 균형점이 어디인지 곰곰이 생각하지 않는다.

그렇기에 생각의 혼란이 인류에게 그토록 파괴적인
것이다.

혼란에 빠진 국가는 영적인 변형을 위한 조처를
할 틈도 없이 깊이 가라앉는다.
영적인 탐구를 시작할 방도를 생각해야 할 시간이다.

우주의 변화가 강력한 긴장을 필요로 할 때
인류는 구원의 센터를 어디서 찾아야 할지 알아야 한다.
따라서 영적인 센터를 위한 탐구는 하이어라키로
인도할 것이다.

인류는 구원에 필요한 공식을 잃어버렸다.
구원을 위한 닻은 하이어라키라는 초점이다.

의석적으로 탐구하고 하이어라키를 인정할 때만
이 구원을 얻을 수 있다.

그래, 그래, 그렇다!

따라서 우리는 아름다움을 기반으로 한 행위와
사역을 위한 토대를 마련해준다.

꽃향기와 수지, 씨앗을 이용한 치유는 고대로 거슬러 올라간다.

장미는 사향과 비슷할 뿐만 아니라 위태로운 환경을 막아준다. 고대인들은 장미가 가득한 정원을 영감의 장소로 여겼다.

프리지어는 교감 신경계에 도움이 되는데, 요가 수행자는 이 신경계가 아주 강하게 진동한다.

보리 씨앗은 폐에 탁월한 효과가 있다.

박하와 향나무 수지와 다른 수지들에 대해 알고 있을 것이다.

향수는 가치가 훼손된 다른 모든 것과 마찬가지로 지금은 그 의미를 잃어버렸다.

향의 기원은 유용하지만, 현재는 잃어버린 지식의 기저를 이루고 있다.

고대의 독극물은 아주 미묘하다.

새로 발명된 마취제는 비교적 원 상태에 가까운데, 이 마취제들은 지적 능력을 떨어뜨린다.

다시 말해 심령 실험에서 균형을 잡아주는 것이다.

영적으로 균형 잡히지 않은 가슴이 불타오르는 것은 불가능하다.

따라서 하이어라키에 가까이 갈 수 있도록 해주는 세부 사항을 모두 기억해야 한다.

봉사의 길을 걷는 제자는 정신과 의식을 다 바쳐야 한다.

창조 작업하는 동안에는, 최선을 다할 때만이 상응하는 결과를 얻을 수 있다.
영이 최선을 다하지 않으면 좋은 결과는 없다.

사람들은 자신이 하는 일이 왜 성공하지 못하는지 궁금해한다.
그렇다면 묻겠다.
최선을 다했는가?
경솔했거나 태도가 무디어졌거나 태만했거나 하이어라키에 대한 열정이 부족해서 자신을 방해하지 않았는가?

원인과 결과에 따라 상응하는 대가를 기대할 수 있다.

무책임한 행동과 목적에 맞지 않는 행동은 불필요하고 해로운 결과를 불러온다.

구도의 길을 가는 제자는 최선의 노력과 하이어라키에 대한 열정을 보여야 한다.

318

따라서 경각심을 길러야 하고 신성한 하이어라키를 둘러싼 창조성을 관찰해야 한다.
제자는 이러한 자질을 길렀을 때만이 운명 지어진 성공이 실현되기를 바랄 수 있다.

그러므로 초점을 둘러싸고 일어난 모든 것에 대해 극도의 성실함과 경각심을 보여야 한다.

눈에 띄지 않는 실수라도 그에 따른 결과를 회피할 도리는 없다.

사람들은 우리가 왜 적을 늦게 무찌르는지 묻곤
한다.
거기에는 많은 이유가 있다.

첫째, 카르마의 조건이다.
카르마로 묶여 있는 적을 건드림으로써 주위 사
람들에게 해를 입히기는 쉬운 일이다.
동맥을 절단할 위험이 있어 환자의 병든 사지를
자르지 않는 것과 같다.
상호 작용하는 관계일 경우 카르마가 복잡하게
얽혀 있기 때문이다.
대상을 전부 막기보다는 위험한 여행자를 격리하는
것이 더 유용하다.

둘째, 적은 에너지의 긴장의 근원이기 때문이다.
역습만큼 에너지를 크게 증가시킬 방법은 없다.
그렇기에 어둠의 세력은 우리의 에너지를 증가시
키려고 전력으로 인공적인 장애물을 만든다.

320

큰 긴장 없이 어떤 일이 삶에 들어올 수 있는가?

창조적인 단계는 대결투의 확인이다.
각각의 전투는 저마다 운명이 있고
각각의 계획도 저마다 의미가 있다
따라서 빛의 세력을 따르는 자는 전투 없이는 승리도 없음을 알아야 한다.
그러므로 위대한 승리의 단계를 확인할 때, 빛의 제자는 영의 무적성과 행동의 견고함을 느낄 수 있어야 한다.

커다란 토대가 인류에게 보장되었을 때, 각각의 긴장은 새로운 구조를 위한 자극으로 받아들여졌다.

그러므로 진화 과정에서 각각의 깃발은 견심함을 보일 때 보장된다.

이렇게 할 때만이 승리할 수 있다!

 내부의 불의 과정과 물리적인 불의 몇 가지 유
사점을 비교할 수 있을 것이다.

 불꽃을 취관 아래로 향하게 하자.
 압축된 불꽃의 색깔이 노란색에서 파란색을 거쳐
은색과 자주색으로 어떻게 바뀌는지 관찰하라.
 또한, 불꽃이 어떻게 기울어지는지 주목하라.

 **마찬가지로 우리의 불은 우주적 혼란의 압력으로
긴장된다.** 이 희귀한 현상을 기록해야 한다. 우주적
전투에 참전했다는 것을 증언하기 때문이다. 이러한
참전을 자랑스러워할 수 있는 이들은 거의 없다.
 **어둠을 무찌르려면 혼란스러운 떨림이 아니라 빛
의 무리의 선봉이 필요하다.** 건설적인 전투에 참
여시켜 주는 압력을 가하는 선회는 얼마나 축복
인가! 이 전투에서 새로운 생각을 떠올릴 수도
있을 것이다. 하지만 그 바람의 방향과 우리가 지
적하는 사항을 알아야 한다!

하이어라키와 새로운 의식의 창조는 진화의 초석으로 인정된다.

그러한 진보의 증거를 매일 관찰할 수 있다.
하지만 사람들은 수많은 색깔을 지닌 불의 꽃잎을 종합하려 하지 않는다.

용기는 낡은 세계의 폐허 위의 삶으로서 자신을 인정하려 하지는 않을 것이다.

나무꾼도 나무가 어느 방향으로 쓰러질지 안다.
그와 반대로 그는 새로운 건물의 재료와 연료량을 조용히 계산한다.

따라서 우주적 전투를 크게 기뻐해야 한다!

세속적인 우선 사항이 무엇을 기준으로 결정되는지 이해한다면 지고의 원리들을 받을 수 있다.

하지만 창조적인 충동의 원리를 누가 숙고하는가?

고립이 발생하고, 위대한 존재의 권리가 주장한 법칙이 침해될 때 주요 토대가 파괴된다.

곤충조차 하이어라키의 위대함을 안다.

생명의 기초에 대한 지식은 삶을 변화시킨다.
이럴 때만이 하이어라키 법칙의 위대함이 인류가 최고의 진화 단계를 위해 노력하도록 해 줄 수 있다.

그러므로 영(靈)의 지식은 아주 강력한 안내자다. 그 지식이 존재의 토대로 항상 이끌기 때문이다. 따라서 최선의 봉사로써 하이어라키라는 개념을 받아들여라.

영의 지식은 제자를 하이어라키에 가는 길로 인도한다. 자신의 영의 힘을 다해, 문화의 받침대를 모두 담고 있는 평화의 깃발을 펼쳐야 한다.

덜 발달한 마음은 겉으로 드러난 모순에 항상 당황한다. 그 마음은 하이어라키와 독립적인 활동을 조화시킬 수 없다.

종합 없이는, 가장 단일한 개념도 시멘트로 붙이지 않은 벽돌처럼 무너져 내릴 것이다.

종합의 실현은 인종의 변형을 향한 단계가 될

것이다.

단세포 생물의 불멸성에 관한 언급은 정확하다.
하지만 우리의 서로 다른 요소들을 통합할 수
있는 것은 무엇인가?

휴면기의 심령 에너지의 결정을 삶에 들여옴으로
써 인공적인 다수의 수단을 제거할 수 있다.
어떤 이들은 그것을 우리의 기원으로 생각한다.

진보를 향한 의식적인 노력의 하나 된 이해만이
변형력을 발생시킨다.

나는 그것을 인종의 진보를 위해 필요한 것으로
받아들이기를 충고한다.

종합은 삶이라는 실험실에서 사용하는 도구다.
이 정의를 기억하자.

종합의 단계를 성취한 마음은 생산적, 도덕적이
고 통일적이며 화내지 않고 참을성 있게 하이어
라키와 협력할 수 있다.

영원을 숙고하지 않으며 자신을 모든 부름에서
차단하는 어리석은 자에게 종합의 이점을 어떻게
설명하겠는가? 그는 말하는 것이 자신과도 관련
있다는 점을 이해하지 못할 것이다.

만족스러운 표정을 띠며 재단사가 인정한 옷을
입고 안심할 것이다.
재단사 계층에게 감사하면서 말이다.
재단사를 기분 상하게 하지는 마라.
사람들은 넌더리 나는 수많은 계층을 발명했기
때문이다.

사물의 진동은 심령 에너지의 압력에서 비롯된다.

빛의 진동 역시 주변에 나타난다.
이렇게 하여 자기력이 전달된다.

사람은 수용성과 조화와 하나 된 것과 유사한
진동에 따라 태어난다.

자기 행복을 결정하는 것이 무엇인지 사람들이
깨닫기는 얼마나 어려운가.

사람들은 자신이 창조한다고 생각하고, 자신이
일한다고 생각하며, 자신이 없으면 아무 일도 일
어나지 않을 거로 생각한다.
자신 안에 토대가 있다고 생각한다.

자신이 하지 않은 일에 대한 공을 가로채는 자들에게 화가 있으리니, 이러한 어둠의 하인들은 빛나는 시작을 파괴하는 자들이다.

이들 어둠의 존재들의 시도는 자신의 파괴를 결정한다. 빛은 무적이기 때문이다.

빛의 하이어라키에 복종하지 않는 곳에서 자기 파괴가 일어난다.

어둠의 존재들이 창조성을 자신들의 덕으로 생각하는 데는 이유가 있다.

정령들이 자신들을 빛의 협력자로 여기고 있기 때문이다.

각각의 사악한 의도는 승리의 확언이다.

하이어라키를 모른 체하려고 어둠의 존재들이 눈이 머는 일이 가능한가?

상위 법칙의 주장을 유일한 구원으로 인정하지 않는 것이 가능한가?

하이어라키의 법칙을 이해하는 일은 이같이 결정적일 때에 얼마나 중요한가!

반역자들이 숙고하게 하라.

하이어라키에 반기를 든 어둠의 하인들이 숙고하게 하라.

하이어라키를 비방하는 자는 누구든지 가장 큰 반역자다.

의사와 판사, 사제와 교사, 건축가와 국회의원이 짊어지는 책임감을 갖춘다면, 그 사람은 대제사장의 책임의 일부가 된다.

하지만 일부일 뿐이다.

세속적인 책임감뿐만 아니라 그 사람은 정묘계와 멘탈계에도 속한다.

우리는 누구에게도 대제사장의 갑옷을 걸치라고 요구하지 않는다.
영(靈)만이 그러한 책임을 선택할 수 있기에.

대제사장의 씨앗은 특정 광선에 따라 발생한다.

진보의 힘은 3개의 세상 앞에 놓인 책임감을 두려워하지 않는다.

이러한 용기는 약속의 기둥과 같이 그 세계들을 연결하는 고리와 같으며, 모든 걸 투과하는 빛이다!

책임감의 왕좌를 직면할 때 성공의 날개가 빛날 것이다.

331

문화가 없으면 국제적인 동의나 상호 이해도 없다. 사람들의 이해도 진화의 요구를 모두 감싸 안을 수 없다.

따라서 평화의 깃발은 문화의 이해로 이끌어 줄 모든 미묘한 개념으로 구성되어 있다.

인류는 영(靈)의 불멸성을 구성하는 것에 존경심을 표하는 법을 이해하지 못한다.

평화의 깃발은 이것이 얼마나 중요한지 이해할 수 있게 해 줄 것이다.

인류는 문화의 위대성에 대한 지식이 없으면 번성할 수 없다.

평화의 깃발은 더 나은 미래로 가는 문을 연다.

각 나라가 파괴의 길로 치닫을 때 영적으로 격감한 사람들은 진보가 무엇으로 구성되어 있는지 이해해야 한다.

구원은 문화에 달렸다.

이렇게 하여 평화의 깃발은 더 나은 미래를 가져다준다.

332

 사람들이 삶에서 사소한 거짓말을 내쫓고 진실을 삶에 적용하는 법에 익숙해지게 하자.

 실재를 의식적으로 왜곡하는 것만큼 파괴적인 것은 없다. 그것은 우주의 리듬을 방해한다.

 지저의 불은 그것의 리듬의 반대 흐름에 지배당한다.

333

 모든 에너지와 협력할 때 이미 운명 지워진 구조물을 세울 수 있다.
 그것은 인간의 창조성에서도 마찬가지다.

 긍정적인 힘은 부정적인 힘의 압력 아래에 창조되며, 발생한 압력의 긴장에 따라 빛의 창조성이 충만해진다.

따라서 주님들의 이름 속에 있는 창조성은 확실히 긴장을 불러일으킨다. 그러므로 빛에 대한 봉사는 우주의 힘의 긴장을 확고히 한다.

강력한 건설 작업이 보장될 때, 변화하는 힘들이 어떻게 반대로 작용하겠는가?

334

평화의 깃발은 모든 문화적 과업을 통합시킬 것이고, 이루어야 할 성취를 세상에 가져다줄 것이다.

탐구하는 사람들은 모든 확언에 응답할 것이다.

국가들은 이 깃발 아래 진실로 하나가 될 것이다.

인류는 다수의 시급한 실험을 수행해야 한다.

위험한 상황은 분열된 종족의 재앙으로 인식해야 할 뿐만 아니라 그러한 상황의 확산을 연구해야 한다.

위태로운 상황이 멀리까지 작용해서 정묘체에 영향을 미칠 수 있음을 알아낼 수 있을 것이다.

위험한 상황은 공간의 불과 불협화음처럼 충돌한다.

위험한 상황에서 지상을 떠난 사람들은 자신에게 고통스러운 존재를 창조한다.

공간의 불이 그들에게 몰려간다.

조화는 근본이 되는 것에 다가가는 것을 뜻하기 때문이다.

근본적인 것에 반대하면 공간의 불의 반작용을 불러온다.

따라서 자신의 화는 분열된 사람들의 혹임을 인정해야 한다.

사람들은 자신의 화에 주의를 기울이지 않는다는 점에 주목해야 한다.

그 탓에 위험한 독이 사라지지 않는데 말이다.

336

따라서 모든 수단을 써 방해 요소를 찾아라.
존재의 토대와 조화를 이루는 것이 무엇인지 이해하라.

세상 위에 존재하는 것과 끝없는 일에 점차 익숙해지는 영(靈)의 진보에는 무엇이 놓여 있는가?

신성한 고통은 세상을 연결하는 지역으로 그 영이 날아가는 신호로 이해해야 한다.

그러므로 퇴보는 인류에게서 인정된 자질 몇 가지를 빼앗는다는 점과 아수르지나의 찢어진 그물을 다시 기우고자 주요한 에너지를 상당히 현현시켜야 함을 이해하기는 쉬운 일이다.

용기 있는 자, 대담한 자, 노력하는 자를 찬양하라!

하이어라키를 위한 이타주의

337

불의 꽃이 만개할 때는 결코 편안한 때가 아니다.
평화의 깃발은 시장 거리에 나타나지 않는다.
따라서 불굴의 노력으로 하나가 되자.

338

하이어라키라는 지상의 대리인들을 인정하지 않
고서 인류가 어떻게 지고의 존재에 다가가길 바
랄 수 있는가?

하이어라키라는 위대한 조직을 인정하지 않은 채
어떻게 연결 고리가 생길 수 있겠는가?

전 우주의 균형을 깨는 자만심이라는 독으로 인해 사고는 아주 강하게 전염된다.

따라서 우리에게 오는 길에 구원의 닻으로써 하이어라키를 여기는 확언을 모두 적용해야 한다.

하이어라키는 인류를 위한 놀라운 빛과 같다!
하이어라키는 강력한 방패처럼, 각성을 요구한다!
하이어라키는 세상들을 잇는 연결 고리다!

339

가장 나쁜 짓은 변절과 스승 비하다.

우리가 인생에 새로운 확약을 할 때, 온 마음을 다해 지고의 뜻을 완수할 수 있도록 노력해야 한다.
우리가 평화의 깃발의 중요성을 단언할 때 세상의 구원이 이루어질 것이다.
위대한 시기다! 중요한 시기다!

이웃을 위해 자신의 영혼을 희생하는 사람에게는 더없는 행복이 주어질 것이다.

이 계명은 목숨을 희생하는 경우에 종종 쓰이지만, 인생이나 육신을 바치는 게 아니라 온 마음을 다한다는 의미다.
따라서 가장 힘들고 긴 임무가 주어진다.

영혼을 바치려면 그것을 일구고 확장하고 정화해야 한다. 그때야 이웃의 구원을 위해 영혼을 바칠 수 있다.

그러므로 이 계명의 지혜를 이해하고 의식적으로 적용해야 한다.

"나를 따르라" 라고도 한다.

따라서 대제사장은 말할 것이다.
전진을 단언하며 말이다.

그는 되돌아오지 않을 것이다.
그렇지 않으면 인도하는 별은 바위 뒤로 모습을 감출 것이다.

대제사장의 겸손을 생각하는 것은 옳지 않다.
겸손을 앞세우고 명령은 뒷전인 경우 말이다.

마찬가지로 하이어라키라는 개념은 위안을 주는 사도라는 말에 명확히 표현되어 있다.
이러한 충고도 비슷하게 이해해야 한다.

슬픔에 차 아무 일도 안 하는 것은 안 되며, 위안은 성취를 통해서 마련된다.

세속적인 눈으로 감지할 수 없는 것은 인정하려 들지 않기에 가장 훌륭한 가르침조차 이해하기 힘든 것이다.

대다수는 책임을 어떻게 생각하는가?
책임진다는 중요성을 얼마나 등한시하는가!

경솔한 생각과 이기적인 욕망으로 책임감을 받아들이는 사람은 끔찍한 카르마를 질 것이다.

인류의 선을 위해 봉사하면 그에 맞게 책임이 수반되어야 한다.

우리의 그릇이 전달자의 손에 놓인다는 것은 그 경이로운 그릇이 날개를 유지하기 위해 품위를 유지해야 한다는 뜻이다.

온화한 정신과 가슴의 배려로 책임지는 것이 걸맞은 일이다.

개성과 자아 중심주의는 탄생과 죽음과 같다.

개성 확립은 신세계의 개념을 드러내지만, 자아 중심주의는 달에 있는 사화산에 자신을 비추는 것이다.
자아 중심주의는 자신을 죽일 뿐만 아니라 주변을 공격해 황폐하게 한다.
그와 달리 개성은 인접한 진영에 불을 밝혀준다.
협력은 개성의 꼭대기다. 자아 중심주의라는 재앙은 전갈이 쏘는 침과 같다.
이러한 자아 중심주의에 의지할 수 있는가?
그것은 독사에 지나지 않는다!

진정한 개성은 그 안에 보편적인 정의의 기반을 갖추고 있다.

우리는 개성을 끌어모아야 한다.

새로운 다이아몬드는 가공해야 하지만, 자아 중심주의는 수많은 생을 거쳐야 하기 때문이다.

이 법칙 역시 가슴의 불에 따라 변화할 수 있다.

그러므로 우리는 자아 중심주의에 빠진 사람들에게 불의 가슴에 접근함으로써 불을 밝히라고 권할 것이다.

하이어라키를 위한 심장의 불빛

343

 우리는 목적 없이 여행객을 위한 쉼터를 알려주기 위해 불의 심장이라는 불빛을 밝히지 않는다.

 불타는 가슴에게 그것은 쉬운 일이 아니다.
 가슴은 이웃을 위해 자신을 희생하며 그로써 더없는 행복의 계명의 정의를 드러낸다.
 하지만 기쁨은 특별한 지혜다.

344

 세상을 재건할 때는 신세계에 대한 확언을 통해서만이 자신의 중심을 지킬 수 있다.

 현현된 결정의 확인은 하이어라키의 위대한 법칙

이라는 수단을 이용해 세계 재건을 제대로 이해할 때만이 삶에 들어올 수 있다.

따라서 신세계를 추구하는 사람은 지정된 하이어라키로 통하는, 하이어라키의 결정을 확인할 수 있도록 애써야 한다.
이때만이 세상이 균형 상태에 도달할 수 있다.

불타오르며 인도하는 가슴만이 구원을 줄 것이다.
그러므로 세상은 하이어라키 법칙의 확언이 필요한 것이다!

하이어라키는 각 국가가 변화를 겪고 사그라지는 불이 대체될 때 정당성을 인정받는다. 그러므로 하이어라키의 법칙을 시급히 받아들여야 한다.
하이어라키가 없으면 진보의 사다리는 놓여질 수 없기 때문이다.

하이어라키의 법칙이 위대함을 열렬히 인정해야 한다.

 반복적으로 필요하다고 생각하는 것들 때문에 동요하지 마라.
 맨 처음 장소에서, 되풀이되는 것은 하나도 없다. 같은 말도 시간에 따라 전혀 다르게 들린다.

 하이어라키에 대해 끊임없이 생각해야 한다.

 속박의 그물에서 벗어나는 것은 좋은 일이다.
 하지만 고통이 뒤따르면 다급하게 하이어라키를 찾게 될 것이다.

 세상에는 노예가 너무 많다.
 의식의 불꽃은 너무 억압되어 있다.
 하이어라키와 노예는 낮과 밤과 같다.

 따라서 하이어라키의 의식과 자유의 하이어라키, 지식의 하이어라키와 빛의 하이어라키를 끊임없이 생각하라.

신세계가 시작된다는 것을 모르는 자들을 웃어넘겨라. 그들은 신세계라는 개념을 두려워하고 있다. 무한자가 그들을 두려움에 떨게 하지 않느냐고? 하이어라키가 그들에게 무거운 짐을 짊어 주는 게 아니냐고?

사람들은 스스로 어리석은 폭군이 되어 하이어라키의 창조 작업을 이해하려 하지 않는다.

스스로 겁쟁이가 되어 성취라는 얼굴에 몸서리치는 것이다.

다가오는 위대한 시대, 무한자와 하이어라키의 시대라는 가장 급박한 개념을 저울에 달아보자.

346

진화의 단계가 마련되면 어둠의 존재는 더 간계를
부린다. **빛을 견디지 못하기 때문이다.**
그들은 다가올 파멸을 감지하면 자신에게 가장
거북한 수단에 매달린다.

새로운 대시기마다 이러한 힘들의 압력이 똑같이
반복된다. 하지만 이러한 압력이 더 강한 시기는
역사상 알려지지 않았다.

불의 시대는 모든 우주의 작용으로 구성된다.
따라서 불같이 눈을 뜨고 있어야 한다.

347

수많은 소금 기둥이 지구에 흩어져 있다.
롯의 아내뿐만 아니라 헤아릴 수 없이 많은 이
들이 뒤를 돌아보았다.

왜 그렇게 불타는 도시를 보려고 한 것인가?
옛 신전에 작별을 고하려던 것인가?
아늑한 난로를 찾던 것인가?
자신이 싫어한 이웃의 집이 무너지는 걸 보려
한 것인가?

확실한 건, 과거가 오랫동안 그들을 옭아매고 있다는
것이다. 따라서 깨달음과 건강 그리고 미래의 힘을 향
해 나가도록 애써야 한다.
항상 그렇게 해야 한다.

다급함을 느껴 충동적으로 행동하면 우주적인 매
듭이 생기게 될 것이다.
당황해서도 과거를 슬퍼해서도 안 된다.
실수가 분명하고, 대상은 기다리지 않으며
바로 그 사건들이 계속 압박한다.

우리는 서두르고 서둘러주기를 바란다.
미래는 복잡하지만, 어둠은 앞에 없다!

하이어라키를 위한 자기희생의 불빛

348

모든 과거를 우리에게 맡기고 미래만 생각하라.
과거의 쓸데없는 것들을 받아들이지 마라.
우리의 의식을 다른 어떤 것으로도 부담 지우지 마라.
나는 가치 있는 것들만 받아들이고 기억할 것이다!

사람들은 사건을 겪으며 미래를 맞이한다.
하이어라키를 안전띠로 이해하라.
세상의 어머니의 표시 또한 그렇게 이해해야 한다.

불안해하지 마라.
내가 모든 것을 쓸모 있게 바꿀 것이다.

우리는 비겁한 자들의 귀에 큰소리칠 것이다!!!

가르침은 긴박한 때에 주어진다.

번개 치는 소리를 듣지 못하는 나귀의 귀를 가져야 한다.

승리에 앞서 기뻐하는 것은 좋다.
크게 기뻐하며 주님의 기쁨과 하나가 되자.

349

생명-활동은 생물체의 미묘한 에너지 덕분에 유지된다.
사람들은 정묘한 에너지를 인식하는 일과 감지할 수 없는 힘의 활동에 어려움을 겪고 있다.
그러므로 우주와 커다랗게 분리되고, 육체는 미묘하게 감지하는 능력을 계발하기는커녕 물질의 기본 특성에 따라 크게 제한된다.

사람들은 우주의 힘들의 진동을 거의 감지하지 못하며, 미묘하게 인식해야 하는 것들의 차이를 알아보지 못한다!

지고의 영역에 이르고자 하는 영(靈)은 자기적 결합이 정묘한 에너지들 사이에 존재하며 모든 공간의 압력을 일치시킨다는 점을 안다.
 따라서 새로운 세대는 정묘한 에너지에 대한 이해력을 길러야 한다.

 공간의 진동이 지구에 다가오고 있고, 새 시대의 확언이 수없이 현현되는 것들의 변화를 불러올 것이기 때문이다.

 그러므로 정묘한 체(體)들은 받은 에너지를 모두 흡수할 것이다.

350

 따라서 불이 현현되는 시대에는 항상 동요가 잇따랐다. 우주적 변화와 함께 영적인 의식이 변화되기 때문이다.
 불의 시대 동안에 가장 중요한 것은 미묘한 수

용성이다.

불의 시대 동안, 하이어라키를 따라 사람들의 영이 급속 성장한다.

하이어라키의 법칙은 국가가 받아들이는 것이 아니라 사람들의 변화가 일어나기 때문이다.

따라서 불의 시대는 하이어라키의 시대다!

351

하이어라키는 진화 시스템이다.

노예 상태로 산 지 아직 오래되지 않은 자들에게 하이어라키는 폭정과 전혀 다름을 되풀이해 말해 주어야 한다.

굴뚝 청소부는 연통을 청소하기 위해 지붕에 오른다. 이 일을 지붕 아래에서 할 수는 없다.

모든 악기를 위한 하나의 조성 없이는 교향곡을 작곡할 수 없다.

농담으로 시작해서 벌과 개미와 백조와 같은 감동적인 예로 끝마치는 수많은 비유를 들 수 있다.

하지만 현재 인류에 대한 가장 좋은 예는 초월적인 화학과의 비교다.
정확한 조건에서만 반응이 일어난다는 점을 이해하기는 쉽다.

이와 똑같이 하이어라키는 성(星)화학 원리와 완전히 일치해서, 과학 초보자도 부정하지 못할 것이다.
우리는 심령 에너지를 발견하는 것이 중요하다는 데 동의했다.
심령 에너지를 조화롭게 인식하려면 유용한 화학 과정만큼이나 하이어라키가 필수적이다.

352

우리에게 오는 가장 확실한 방법은 무엇인가?
가장 신뢰할 수 있는 길은 자기희생을 통한 성

취의 길이다.

가장 경이로운 불은 하이어라키를 향한 사랑으로 가득 찬 가슴의 불꽃이다.

그러한 미묘한 가슴은 지고의 하이어라키에 대한 봉사로 성취할 수 있다. 그러므로 미묘한 가슴의 자기희생은 경이롭다.

영(靈)의 창조성과 민감한 봉사자의 독립적인 행동은 공간을 격렬히 가득 채운다. 따라서 미묘한 가슴은 우주적인 모든 사건에 반응한다.

그러므로 보이는 것은 보이지 않는 것들로 떠나갈 듯하고, 현재는 미래로 떠나갈 듯하며, 운명 지어진 것이 일어난다.

따라서 미묘한 가슴의 자기희생은 세상을 불꽃으로 가득 채운다.

아라한이라는 신성한 개념은 왜곡되었다.
아름다움을 빼앗긴 채 훼손되었다.

공동선의 교사에 대한 이해는 세상의 의식 속에서
얼마나 흐릿하게 불타는가!

하지만 진리는 살아있다.
진리의 이름 아래 우리는 창조한다.
따라서 인생의 변형을 위해서는 진리의 아름다움
으로 하이어라키를 받아들여야 한다. 그러므로 미
묘한 가슴은 장대한 진화를 창조하는 것이다.
가슴 속 초점의 중요성을 인식해야 한다.

이렇게 할 때 가슴을 통해 미묘한 가슴의 커다
란 과정을 이해할 것이다.

어떤 사람은 우리가 전투를 자주 상기시키는 것을
참지 못한다. 그들에게는 그것이 전투가 아니라
문의 개방이 되게 하라.
개방되는 과정도 에너지가 필요하다.

하지만 그대들에겐 위선적인 변명 없이 어둠에
대항한 빛의 전투가 끊임없이 진행된다고 말할
것이다.

많은 전사가 이 전투를 돕고 있다.
그러지 않았으면 우리는 다시 혼돈에 휩싸였을 것이다.

참전자들은 육체의 껍질 속에 있는 자신이 왜
정묘한 체들의 성취를 기억하지 못하는지 묻는다.

그러한 의식을 허용하는 것은 우리에겐 범죄나
마찬가지다.
가슴은 그러한 거대한 전쟁이 있다는 사실을 감

당할 수 없다.

특별히 불타오르는 가슴만이 자신의 의식 속에 검은 무기를 간직한다.

그러한 각성과 경화증 때문에 가슴은 멈춘다.

하지만 우주적 전투는 가장 강한 가슴을 공격할 것이다. 따라서 그 전투를 상기하자.

충돌이 거대한 범위에서 일어날 때 말이다.

지하의 불은 간신히 균형을 유지한다.

그리고 자력의 층들은 교차한다.

이러한 변화가 새로운 가능성을 불러옴을 부인 말자.

355

생명-활동성은 정묘한 에너지들이 가진 서로 다른 진동에 따라 강화된다.

생명-활동성의 본질과 각각의 영(靈)이 바탕하고 있는 생명-활동성은 그렇게 불충분하게 실현되고 있다.

사람들은 생명의 과정이 조직 속에서만 일어난다고 생각한다.
정묘한 에너지와 공간의 불과 끊임없이 교환하고 접촉할 수 있게 해 주는 비가시적인 과정에 따라 우주의 창조성이 강화됨을 잊은 채 말이다.

심령 에너지의 유지는 영적인 과정에 기반한다.

인류는 생명-활동성의 근원이 어디인지, 힘들의 증가를 위한 교환이 무엇에 포함되어 있는지 인식해야 한다.

인류가 힘의 근원으로부터 자신을 단절시키면 힘들의 변화가 인다. 따라서 그것은 전 우주의 건설 작업 안에 있다.

그러므로 전체 구조에서, 힘은 근원으로 충만해야 한다.
그렇기에 우리가 하이어라키를 그렇게 강하게 강조하는 것이다.

이 근원이 지복의 근원이며, 세상의 변화는 구원을 위한 하나의 닻에 존재하기 때문이다.

그러므로 의식은 주어진 모든 것의 센터로 확인되어야 한다.

356

단어가 의미하듯이, 진화의 나선은 팽창하고 퇴화의 나선은 수축한다.

개인적인 면에서뿐만 아니라 사상에서도 똑같은 것을 관찰할 수 있다.

사상이 어떻게 탄생하고 자기의 원을 어떻게 완성하는지 알아보는 것은 매우 유익하다.

때로는 사상이 완전히 사라진 것처럼 보일 때도 있다.

하지만 그것이 진화의 특성을 나타낸다면 확장된 형태로 다시 나타날 것이다.

진화적 사고를 위해서는 사상의 뿌리의 나선을 연구해야 한다.
사상을 점진적으로 받아들이는 일은 더 높은 이해력을 갖추게 한다.

예를 들어 종교 사상을 가지고 그것을 나선형으로 조사할 수 있을 것이다.
비교가 아니라 진화적으로 그리고 나선형으로 검토하면서 말이다.
이렇게 하면 하나의 뿌리를 볼 수 있다. 또한, 종교 사상이 진화를 통해 어떻게 팽창했는지 연구할 수 있다.

따라서 미래 예상이 줄어들지는 않을 것이다.

긍정적인 징조가 늘어날 것이다.

하이어라키를 위한 가슴의 생명력의 불
357

인류는 생명의 가르침의 토대를 없애려고 수많은 일을 허용했다.

사람들은 비교적인 허용을 위해 등에서 심지를 없애고 흘린 기름으로 큰불이 일어나는 걸 보고 깜짝 놀랄 것이다.

세상의 등은 뒤집혔다.

신성한 생명의 기적은 산맥을 따라 보호될 수 있다.

큰불은 두 가지의 수원으로 막을 수 있다.
하이어라키와 심령 에너지다.

인류는 불가분의 원으로 성채를 세워야 한다.

온전하고 비분열의 상태에서, 중심을 따라 궤도를
돌면서 창조 작업을 시작해야 한다.
이렇게 할 때만이 반지름을 따라 모든 지점을
지나 올바른 영역을 확보할 수 있다.

성채는 중심을 기반으로 키워야 한다.

피상적으로 받아들일수록 모든 방향에서 더 위험
해질 것이다.
중심의 내적인 현현에 귀 기울여야 한다.

분할할 수 없는 성채는 강력하다.
온전함은 아름다움이다.

그 중심은 지복의 하이어라키다.
이렇게 하여 최상의 단계가 마련된다.

각각의 영(靈)은 모든 이가 온전한 빛을 경험한다는 것을 알아야 한다.

각각의 아쉬람은 온전함으로 육성되고 하이어라키의 빛에 따라 산다.

각각의 원자는 온전함에 따라 존재한다.
그 안에는 아름다움이 있다.

이렇게 하여 세상이 만들어지는 것이다.

359

우리의 건설 작업은 생명력에 있다.
인류를 위한 행복의 서약은 아름다움에 있다.
따라서 예술은 영(靈)의 재생을 위한 최고의 자극제가 될 수 있다고 말하는 것이다.
우리는 예술이 불멸하며 끝이 없다고 생각한다.
우리는 지식과 과학 사이에 경계를 둔다.

지식은 예술이고 과학은 방법이기 때문이다.

그러므로 불 원소는 예술과 영(靈)-창조성을 강화한다.

예술이라는 놀라운 진주는 영을 고양할 수도 순간적으로 변화시킬 수도 있다.

영의 성장을 통해 모든 걸 얻을 수 있다.

오직 내면의 불만이 각자에게 필요한 수용성의 힘을 주기 때문이다.

그러므로 아그니 요가 수행자는 제한된 과학적 방법론 없이도 모든 장대한 아름다움을 느낄 수 있다.

예술이라는 진주는 인류에게 행복을 주며 영-창조성의 불은 아름다움을 새롭게 바라볼 수 있는 눈을 준다.

이렇게 하여 우리는 중심을 둘러싼 온전함을 소중히 생각하고 가슴으로 하이어라키에 봉사하는 것에 감사하는 것이다.

360

사람들은 세상의 토대를 얼마나 이상하게 해석하는가!
필수 원리들을 해석하기 위해 우리가 어떤 공식을
발명했는가!

모든 우주적 원리가 통일적이라는 위대한 토대를 이해하
지 않으면 방해 되는 원리들로 공간을 채우게 될 것이다.
기원들의 불균형과 지고의 법칙들의 불일치와 권위에
대한 추종을 낳게 될 것이다.

인류의 약점을 통해 하이어라키라는 위대한 기원을 분
리하면 그에 따른 결과를 얻을 것이고, 인류는 위대한
원리를 평가 절하하려고 안간힘 쓰게 될 것이다.

이렇게 하여 위대한 것을 하찮은 것으로 바꾸는
일이 벌어진다.

우주적 기원의 힘은 경이롭다.
하이어라키의 창조 법칙은 모든 걸 불로 가득 채운다.
전 우주의 기초에는 지고의 불의 대통일 법칙이 있다.
그러므로 모든 위대한 지명은 분리되어서는 안 된다.

미래의 토대와 행복을 방사하는 하이어라키는 위대한 법칙들을 행사함에 따라 강화된다.
하이어라키를 통해서만이 무언가를 이룰 수 있다.

대제사장의 이름이라는 방패를 내려치는 건 우리를 내려치는 것과 같으며, 그러한 짓을 하는 자는 비싼 대가를 치르게 될 것을 의식이 이해할 때 하이어라키가 보장하는 궤도에 올라설 수 있다.

모든 일의 성공은 통합에 있다.
경멸하는 것은 비겁함과 변절의 증거다.
통합은 경이로운 불이다!

사람들은 종종 번개보다 천둥에 더 놀란다.
마찬가지로, 사람들은 본질적인 것보다 반향을
더 힘들어한다.
번개가 치지 않으면 천둥에 놀랄 일도 없다!
풋내기만이 포탄 소리와 총알 날아가는 소리를
무서워할 뿐이다.

심령 에너지는 번개에 반응한다.

생물이 타고난 능력으로 큰불에서 어떻게 살아남
는지 볼 수 있을 것이다.

심령 에너지는 때때로 인접한 센터에서 다른 데로
불길을 돌리기 위해 인공적인 부종을 만들기도 한다.

요가 수행자가 사지를 부풀렸다가 재빨리 원래 크기로 수축시키는 장면을 눈앞에서 보는 일을 매우 드물다.

이런 일은 큰불로 후두가 상하게 생겼을 때도 볼 수 있다.
심령 에너지는 위험한 불길에도 불구하고 그 불을 제압한다.
마찬가지로 분출은 염증을 막는다.
그것은 화산과 매우 유사하다.

찾아보면 이와 유사한 것들이 눈에 많이 띌 것이다.

의식이나 강제 같은 방법을 추구해선 안 된다.
가슴의 불이 자연스럽게 타오를 때만이 지고의 존재와 자연스럽게 융합할 수 있다.

가득 채운 잔이 끓는 것은 어쩔 수 없는 일이다.

이것은 세상의 어머니가 짊어지는 짐이다.

잔 속에 아기가 누워 있는 오래된 그림을 떠올려 보라.

다수의 과학적인 표시가 모호한 상징으로 변질되었다.
하지만 이제 그것들을 연구할 때가 되었다.

363

장대한 변화 동안에는 정화하는 불이 쌓여 대기를 강화하고 불길을 몰아 새로운 세상을 만드는 데 쓴다.

따라서 옛 세상의 폐허 위에 새로운 진화가 시작되고 칼리 유가를 끝내고 새로운 세상의 불로 공간을 가득 채우는 불의 시대가 시작된다.

모든 것을 아우르는 주님들의 깃발은 순수한 창조성을 부른다.

이렇게 하여 하이어라키가 공언한 것이 삶에 들어온다.
우리는 선에 도움 되는 모든 것을 환영한다.

우리는 더 높은 길을 걸어가려는 순수한 노력으로 가득 찬 모든 것을 환영한다.

364

사트야 유가가 시작되기 전에 카르마라는 두루마리가 어느 때보다 빠르게 감긴다는 건 익히 알려져 있다.

세상엔 범죄와 신성 모독이 넘쳐나는데, 왜 보고만 있느냐고 물을지 모른다.

첫째, 사람들은 번개보다 천둥으로 심판하기를 더 좋아한다.
둘째, 사람들은 사건들의 원이 어떻게 서서히 돌아가는지 알아채지 못한다.
셋째, 동기와 오래된 카르마의 굴레에 그 이유가 있다.

미묘한 의식만이 달갑지 않은 행위에 나쁜 동기

가 숨어 있지 않는지 느낄 수 있다.
하지만 그 반대도 일어난다.
나쁠 것 없는 행동에 바람직하지 않은 동기가
숨어 있을 수도 있다.

내가 공간의 정의를 이야기할 때는 균형의 법칙
을 마음에 둔 것이다.

영(靈)이 불안에 떨 때마다 그것은 잔에 나타난다.

365

각각의 행위가 어떻게 카르마의 변동을 반영하는지
관찰하라.
반역 행위가 모든 면에서 어떻게 카르마를 빨리
형성되게 하는지 관찰할 수 있다.
이것을 관찰하면 많은 것을 배울 수 있다.

사람들이 자신을 해롭게 하는 모습을 보는 건

얼마나 고통스러운가!
 이러한 자멸 동안 어떻게 생각이 독사처럼 내면의 존재를 강타하는지 볼 수 있다.

어떤 것으로도 결과를 피할 수 없다.
원인과 결과가 너무 가깝기 때문이다.

따라서 가슴의 불만이 자신을 지켜줄 수 있고 감염을 유발하는 통로를 정화할 수 있다.

사람들은 심령적인 힘의 개념을 얼마나 심하게 왜곡하는가!

물질로 현현된 것은 심령적인 요소로 설명할 수 있지만, 심령으로 현현된 것은 물질적인 수단으로 확인할 수 없다는 점을 잊은 채 말이다.

심령적인 요소가 과학에서 모두 제거되었을 때, 유기적인 것과 비유기적인 것 사이에 확실한 경계가 세워진다.

책에는 영(靈)도 심령 에너지도 없으며 우주의 불은 인류에게 주어져야만 하는 과학을 만들어낼 수 없음을 학자들에게 말할 수 있을 것이다. 수백 년 동안 만들어졌던 것들에서 수천 년 동안 존재했던 것을 분리하면 지구의 카르마를 크게 촉발한 오류를 밝혀낼 수 있다.

따라서 인류는 어떻게 하면 심령적인 것을 물질계에 좀 더 가깝게 현현시킬 수 있을지 숙고해야 한다. 그러지 않으면 확실히 자리 잡은 과학과 현학은 공허한 자리에서 만나게 될 것이다.

예술의 생명력은 신성한 불을 보호하며, 영을 불타오르게 하고 모든 세상을 가득 채우는 그 불로 인류를 충만하게 한다.

창조성의 아름다움이라는 경이로운 횃불은 인류에게 아주 소중하다.

우리는 예술의 창조성이 사람들을 어떻게 변화시키는지 봤다.
세상의 가르침으로는 할 수 없는 일이다.

그러므로 아름다움과 평화의 깃발은 세상을 하나

로 묶는다.

이렇게 하여 영-창조성이 공간을 가득 채우는 것이다.

367

주는 자는 누구인가?

줄 것을 가진 사람이다.

하지만 소진하지 않도록 무궁무진한 원천에서 받아야 한다.

하이어라키를 향하자.

368

성자의 몸에서 향기가 난다는 이야기를 들어 보았을 것이다.

성자를 무혈의 왕국으로 다시 데려다주는 성자의

오라가 어떻게 초기 화신들 동안 거쳐 갔던 꽃들의 향기를 발산하는지 알려줄 수 있다.

몸에 맞는 꽃을 사용함으로써 치유할 수도 있다.

369

수천 년에 걸쳐 영적인 탐구를 한다면 어떻게 자신들의 성취를 부정할 수 있겠는가?
열정적인 성취를 부정하는 바탕 위에서 어떤 오류가 발생하는가!

보이지 않는 과정은 인류에게 작용하는 힘을 보여준다.

영적인 에너지는 우주불의 원소이며 이 원소가 생명력을 움직이고 생명과 관련된 모든 현상의 기반이 된다.

최고의 에너지에 대한 지식의 힘은 존재성(Be-ne

ss)에 핵심이다.

심령 에너지의 신호는 전 우주에 퍼져 있다.
따라서 공간의 붙에 귀 기울여야 한다.

370

아주 해로운 행동 중 하나는 자신의 실수로 비롯된 결과를 두고 하이어라키를 탓하는 것이다.
반역을 제외하고, 이렇게 어리석게 비난하는 것처럼 하이어라키와의 관계를 단절시키는 일도 없다.

하이어라키라는 보호막은 유해한 실수의 결과를 최소화한다.
하이어라키를 거부하면 자신이 한 일의 결과가 빗발칠 것이다.

노련한 뱃사람이라면 이렇게 충고할 것이다.
"폭풍이 몰아치는 동안에는 배를 바꾸지 말라."

자신의 실수를 두고, 사람들이 그 결과를 하이어라키에게 희생을 바친 일로 어떻게 설명하려 드는지 상기해야 한다. 하이어라키를 비난하고 있음을 알아차리지 못한 채 말이다.

371

불에 충실함으로써 우주의 리듬으로 센터들을 포화시킬 수 있다.

공간의 흐름에 끊임없이 충실함으로써 공명이 보장된다.

센터들의 민감도는 보이는 세계와 보이지 않는 세계 사이의 연결로 보호되고 보장되어야 한다.

센터들이 공명하는 동안에는 조용해야 한다.

스승의 확언은 매시간 되풀이해야 한다.
우리의 구조는 하이어라키를 의식적으로 적용해야
하기 때문이다.

많은 사건이 일어날 것이다.
하지만 우리가 선언한 하이어라키를 통해서만이
이 일에 참여할 수 있다.

그러므로 나는 말한다.

우리의 결정뿐만 아니라 수천 년 동안의 카르마가
미래의 구조를 불변으로 만든다고.

세부적인 것들은 바뀔 것이다.
근본적인 것은 변하지 않을 것이다.

우리의 의지를 잊어서는 안 된다.
삶의 세부적인 사항에서도 말이다.

그대는 꾸며낸 이야기를 정확하게 알아차릴지도
모른다. 하지만 하이어라키의 사다리 위에서만이
그것은 세상의 구원으로 바뀔 것이다.

그리하여 나는 이렇게 말한다.

373

"일하고, 뭔가 좋은 것을 만들고, 빛의 하이어라키를
존경하라."

우리의 이 계명은 새로 태어난 아이의 손바닥에
쓸 수 있을 정도다.

빛으로 이끄는 계명은 이처럼 간단하다.
이 계명을 적용하려면 가슴이 순수해야 한다.

영적인 것에 대한 이해력을 상실해 지구가 균형 상태를 잃으면 지구에 닥칠 결과는 불가피하다.
원인이 없으면 카르마의 결과도 없고 결과가 없으면 원인도 없기 때문이다.

영적인 노력을 하지 않아 일어나는 일들은 지구의 재건을 불러올 충격을 유발할 것이다.

사람들은 물리적인 변화가 일어나면 아그니 요가를 이해하게 될 것이다.
경제가 붕괴하면 가치를 재평가할 것이다.
종교가 왜곡되면 영적인 새로운 길을 추구할 것이다.

따라서 낡은 세계의 붕괴는 새로운 확언이다.
새로운 가치관을 불러옴으로써 우리는 영(靈)을 구원하는 방법을 세상에 전할 것이다.

불의 원리에 따라 세상은 재건된다.

 센터들의 불, 영(靈)의 불, 가슴의 불, 성취의 불,
획득의 불, 하이어라키의 불, 봉사의 불이 새로운
세상의 원리가 된다.

 그러므로 의식들이 혼합된 호(弧)는 최고의 의지를
만든다.

 평화의 깃발은 전 세계를 감쌀 것이다.

 위대한 때, 위대한 달성의 시대가 될 것이다.

 이와 같이 위대한 행동의 시대가 다가온다.

376

나는 광신도와 편협한 사람들에게 반역에 대해 말할 것이다. 그들은 반역죄를 서른 조각으로 나뉜 은으로 된 물건으로 생각할 뿐, 그것이 신성 모독과 비방에도 포함되어 있음을 잊는다.

악의적인 말은 반역이 아니라고 생각해서는 안 된다.

악의는 반역이나 비방과 불가분의 관계에 있다.

혐오스러운 가지에 양분을 주는 똑같은 검은 나무와 그 열매는 수치의 뿌리만큼이나 검다.

악의적인 말의 공포에서 자신을 빨리 해방해야 한다.

377

세상의 변화는 최고의 긴장 속에서 보장된다.

모든 동요와 변동과 질병은 이러한 변화를 동반한다.

가장 강하게 추진된 에너지가 불을 움직인다.

불의 시대에는 어둠이 강해지고, 모든 것이 불의 노력으로 강화된다.

악은 강화된 어둠이 만들어 낸다.

빛은 세상을 변화시킨다.

위대한 시대에는 우주적인 변화가 공간을 가득 채울 것이다.

불의 시대에는, 빛이 어둠과 싸울 때, 평화의 깃발 현현이 인류에게 새로운 단계를 열어주는 기본 표시가 될 것이다.

그러므로 아름다움과 지식, 예술, 모든 국가는 이 표시 아래 하나가 될 것이다.

가장 최고의 조치만이 이 깃발에 적용된다.

진실로!

악에 저항하는 일은 하이어라키를 추구하는 사람들이 가져야 할 기본 자질이다.

육체적 자질로는 악에 저항할 수 없다. 영(靈)과 가슴의 불은 악의 간계에 대한 갑옷을 만들어 줄 것이다.

악을 어떻게 이해해야 하는가?
무엇보다 확실히, 악은 파괴다.

낡은 집을 더 좋은 새집으로 바꾸는 것은 파괴라고 할 수 없다.

무정형의 상태로 이끄는 해체가 파괴다.

그러한 파괴에 맞서는 법을 알아야 한다.

무저항주의에 내재하는 겁을 극복하려면 영의 힘을 찾아야 한다. 악에 맞설 준비를 해라.

모든 방대한 확약을 구성하기 위해 그리고 전체
일을 이해하기 위해 얼마나 크게 의식을 확장해
야 하는가.
상응성, 공동 판단, 긴장을 실현해야 한다.
이러한 이해가 없으면 세계적인 일을 작은 차원
으로 평가해 그 일을 약화할 수 있다.
긴박한 세계의 단계를 마련할 때는 무엇보다 세
계적인 척도를 적용해야 한다.
위대한 깃발, 새 시대의 표상이 펼쳐지고 의식적
인 판단을 적용해야 한다.

위대한 선포는 세상의 재건을 향한 단계다.

380

지진으로는 불충분한가? 사고나 폭풍, 극심한 추
위와 극심한 더위가 부족한가?

불의 십자가가 떠오르지 않았는가?

낮에 별이 빛나지 않는가?

불의 무지개가 떠오르지 않았는가?

징조가 충분히 증가하지 않았는가?

혼돈에 빠진 인류는 명백한 징조를 알아보려고 하지 않는다! 그래서 우리는 의심이 사람을 눈멀게 할 때 보이는 징조를 주장하지 않는다.

그렇지만 이렇게 눈멀고 귀 먼 사람 가운데서 불의 아이들이 발견된다.

우리가 그 아이들에게 신호를 보내면 아이들은 빛이 다가옴을 알게 될 것이다.

381

미래에 관한 생각 없이 현재만을 아우르는 의식은 진화를 고수할 수 없다.

그러한 의식에게는 수 세기의 사슬이 사라지기 때문이다.

의식이 팽창할 때, 원인과 결과라는 위대한 사슬을 아우를 수 있다. 따라서 진화가 성취되고 있을 때 원인의 현현이 중요하다.

현재, 지구가 자신의 카르마를 다하고 있을 때, 초래한 일에 대한 징벌이 인류에게 크게 반영된다. 인간의 영적인 노력으로 생겨난 그것이 지구를 감싼다.

그러므로 각각의 가벼운 긴장과 노력은 새로운 세상에 대한 확약을 지구에 전해 줄 것이다.

고귀한 평화의 깃발은 빛의 발사체를 나르고 그 흐름을 악에 대한 치료제로 사용해 지구를 가득 채운다.

수천 년 동안 융합된 의식이 창조된다.
이렇게 하여 빛은 어둠을 정복한다.
이렇게 하여 경이로운 단계가 실현되고 있다.
이렇게 하여 이미 운명 지워진 것이 다가온다.

382

우주의 정의는 모든 카르마의 끈을 해결한다.

공간을 통해 우리를 지탱하는 확약을 인류는 얼마나 적게 생각하는가!

하지만 그들도 상위의 영역으로 우리를 이끄는 그 확약을 깊이 생각해 예외 없이 하이어라키에 이를 것이다.

인류는 진리를 깨달아야 한다.

의식의 호(弧)가 융합될 때 우리는 미래를 창조한다.

383

전파조차도 사람에게 강하게 반응하는데, 심령 에너지로 채워진 물체는 얼마나 강하게 행동하겠는가!

의식적으로 채운 자석은 자류를 전도한다.

우리가 방사한 것들은 각각의 전달된 선물을 둘러싼다. 그러므로 우리가 보낸 것들의 확약된 행위는 그것을 받은 사람의 힘을 항상 강하게 한다.

공간은 격렬하다.
작은 변화들이 쌓이고 있다.

하지만 모든 사건 위에 새로운 흐름이 재건의 단계를 위해 전달된다.

어떤 이가 우리의 인도가 그 사람을 하찮게 만든다고 말할 수 있는가?

어떤 이가 우리가 그 사람의 최선의 구조물을 파괴했다고 말할 수 있는가?

어떤 이가 우리의 인도 속에 파괴나 경멸을 발견할 수 있는가?

없다!

각 사람의 가슴은 자신의 변절이 방해하지만 않는다면 자신이 저지른 실수조차 없어질 수 있다고 말할 것이다.

변절자가 어떻게 자신을 해롭게 하는지 증명할 수 있다. 하지만 그것은 그들이 저지른 일의 결과다.

변절에 물들지 않은 순수한 영혼을 있음(Be-ness) 의 정상을 따라 이끄는 것은 영광스러운 일이다.

친밀감은 협력의 결과라고 할 수 있다.

우리는 영원히 결속시켜 주는 그러한 협력을 요청한다.

385

우주의 자기력은 모든 필수 과정을 가득 채운다.

우리의 임무는 진동들의 물리적 연관성을 확립하는 것이다. 이렇게 하면 모든 현현물의 연관성을 결정할 수 있게 될 테니.

각각의 현현물은 미묘한 에너지들의 센터들과 연관 있다.

각각의 섬광과 진동은 우주에 있는 어떤 현현물과 관련 있다.

이러한 파동을 연구하면 모든 현현물 사이의 유대가 아주 강력해서 그것을 통해 자기력과 관련 있는 곳을 결정할 수 있고 이렇게 하여 다른 생각과 표준과 열망이 긴장도가 다른 자기력으로 인해 방해받는다는 결론에 도달할지 모른다.

386

예기치 않은 것만이 두려움을 줄 수 있다.
기대하던 것은 모두 삶에 들어온다.
이는 예기치 않은 것은 기대한 것으로 변형되어야 함을 뜻한다.
다시 말해 지식을 추구해야 하는 것이다.
그뿐만 아니라 지식을 이해해야 한다.

형식적이 아니라 다양하게 말이다.

인생의 힘이 무한한 다양성으로 우리를 가득 채울 때, 3개의 세상의 선봉에 선 자는 무적이 될 것이다.

그 3개의 세상을 인지해야 한다.
그렇지 않으면 표면만 따라가야 한다.

내적인 것을 인지하면서 움직임에 익숙해져야 한다.

가르침을 적용하지 않으면 가르침은 누구도 안내하지 않을 것이다.

일이 발전되다 보면 꼭 사람들의 반감을 산다.
두 가지 조건을 명심하라.

첫째, 적대적인 사람을 피하라.
그들은 운명을 타고난 사람이 아니다.

둘째, 이러한 적대감을 도약대로 가치 있게 사용할 수도 있다.
지연은 적들 때문에 일어나는 게 아니다.
유심히 살펴보라!

388

그대들도 알고 있는 황제에게 승리를 아뢰자 황제는 차분하게 그 소식을 맞았다. 그러자 신하들이 속삭였다.
"관심 없으신 건가?"

황제는 답했다.

"무관심한 게 아니라 이미 알고 있었기 때문이다. 짐한테 승리는 벌써 일어난 일이다. 짐은 지금 큰 난제를 어떻게 했으면 좋을지 고민 중이다."

우리가 그대에게 자신의 건강을 지키라거나 아무렇게나 글 쓰지 마라거나 집에 있으라고 하는 건 일어나지 말아야 할 수많은 일이 이미 벌어진 것을 앞서 보았기 때문이다.

스승인 우리보다 그 결과를 걱정해 주는 이가 있겠는가?

우리가 감사를 말하는 건 필요해서가 아니라 감사하는 마음을 가짐으로써 결속을 강화하려 다시 한번 애쓰기 때문이다.

분열은 낚시꾼의 손에 있는 미끼 달린 바늘처럼 위험하기 짝이 없다.

어둠의 세력은 빛과 싸우려 한다.
그들은 반역으로 자신을 강화함으로써 어둠의 행위를 확인하지만, 빛의 세력은 크게 긴장해서 창조에 필요한 수많은 현현을 부여한다!

힘의 변화는 어둠의 방해로 긴장된다.
하이어라키는 위대한 창조의 이름으로 모든 긴장과 직면한다.

하이어라키는 변화를 위한 계획을 품는다.

그러므로 진화는 강력하게 진행된다.

하이어라키와의 연결은 안락이 아닌 봉사와 노력으로!
390

희망을 마다하는 이들은 얼마나 어리석은가!
전쟁의 장점을 말하는 이들은 얼마나 맹목적인가!
문화라는 방법으로 지구를 재건할 수 있다는 점을
인식하는 자는 얼마나 적은가!

더 수준 높은 수단을 사용한 창조성을 이해하지
못하는 이들은 똑같은 낡은 격변에 목숨을 잃을
것이다.

새로운 방법을 이해하지 못하는 자들은 마이트레
야의 시대를 제대로 이해해야 한다.
평화의 깃발과 주님들의 깃발이 모든 길을 열
것이다!

그들은 카르마 법칙을 의심하며 그대에게 물을 것이다.

"왜 누릴 자격이 없는 사람이 안락을 누리고, 자격 있는 사람은 고통받는가?"

그러면 다음과 같이 대답하라.

"세속의 안락을 포기하지 않는 자의 카르마는 무겁다. '안락은 영(靈)의 묘지'이기 때문이다."

그대도 보듯 세속적 안락은 영적인 귀를 막는다. 행복의 가면을 쓴 많은 이는 크나큰 불행을 숨긴다. 따라서 그 사실을 아는 자는 세속의 안락을 표준으로 삼지 않는다.

지하의 흐름을 생각하는 일 없이 정상에 따라 판단해야 한다.

 스승은 그대가 고난의 가능성을 얼마나 이해하는지
보는 걸 반긴다.
 이러한 복 받은 자각에 익숙해져야 한다.
 이것은 하이어라키에 다가갈 수 있는 제일 조건
으로 꼽을 만하다.

 때때로 나는 그대에게 조용히 하라고 말한다.
 의식적인 침묵으로 발생하는 공간의 긴장의 중요
성을 이해해야 한다.

 게다가 반복의 리듬을 상기해야 한다.
 기술의 도움과 다양한 조건의 도움을 간과하는
것은 현명하지 않다.

 예를 들어, 두통의 조건을 보자.
 침묵보다 나은 것이 무엇이겠는가?
 심장이 고동칠 때 맥박을 변화시키는 우주의 리
듬은 어떠하겠는가?

봉사는 종종 진리에 꽤 반대되는 확약으로 여겨진다. 봉사를 현실에 맞지 않는 무언가, 우연히 삶으로 들어온 의식이나 리듬으로 간주한다.

봉사는 상위의 것과 하위의 것을 연결하는 사슬이자 삶에서 확증되고 현현된 정수에 따라 예정된 것이므로, 봉사의 사슬은 은총의 하이어라키로 들어옴을 깨달아야 한다.

모든 행위는 통합의 사슬을 형성하므로 하이어라키의 법칙은 최고의 지복을 가져온다.

제자와 스승 사이의 에너지 강화는 끊임없이 들어가고 내뿜는 증기 기관과 비슷하다.

우리는 일치의 필요성을 계속 지적한다.
박애와 노력 그리고 감사를 위해서 말이다.

그러한 수단으로만 일치의 역동성을 개발할 수 있다.

증기 기관은 연료로 움직이지만, 우리는 고갈되지 않는 심령 에너지 저장고를 가지고 있다.

열거한 자질이 우리에게 필요하다고 생각해서는 안 된다.
반대로 그것들은 그대에게 필요하다.
그렇지 않다면 어떻게 우리와의 결합을 강화할 것인가?

영(靈)이라는 발전기의 강력한 리듬은 의심이나 자기

중심주의 또는 자기 연민이 아니라 우리한테 다가오려는 불가분의 활발한 노력으로만 보장받을 수 있다.

 이러한 노력을 삶 속으로 끌어들여야 한다.

 각각의 물리학 법칙은 영의 법칙들의 안정성을 상기시켜야 한다는 점을 기억해야 한다. 그 의식을 가질 때 삶의 변화를 위한 협력자가 될 수 있다.

인류는 보장된 존재의 각성을 넘어 낡은 생각과 낡은 생존의 진창에 빠졌다.

변화된 국가들의 정신은 편견과 미신의 에너지 아래 검게 그을린다.

이러한 그을림의 기초-두려움을 뿌린 교회-는 견딜 수 없다.

반역의 수단으로 보여준 진술은 살아남을 수 없다.

영(靈)의 부활은 지구를 에워싼 이러한 공포를 제거해야 한다.

하이어라키만이 인간의 모습을 회복시킬 수 있다.

새로운 확약은 영원한 하이어라키라는 수단을 통해 주어지고 있다.

세상이 교란되고 인류가 혼돈에 휩싸일 때, 구원으로 가는 한 가지 길만 남는다.

지고의 것과 창조적인 것, 영의 상승의 길을 인식하지 않는 일이 어떻게 가능한가!

낡은 길이 모두 파괴될 때
낡은 에너지가 모두 오래되었을 때
지구가 자신의 표면을 변화시킬 때

자신의 온 영으로, 하이어라키의 힘에서 오는 새로운 확약과 재생되는 에너지를 적용하지 않는 일이 어떻게 가능한가!

인류는 이렇게 할 때만이 상위 에너지에 이끌릴 수 있다.

우주 자석의 토대를 따르면 최고의 현현이 지고

의 것의 영을 끌어당길 것이다.

하이어라키의 최고 법칙은 더 나은 미래를 보장
하며 자선을 통해 창조한다.

트랜스 상태 동안에는 보통 사람도 노련해지고 대담해지고 지치지 않는다. 그뿐만 아니라 아직 접근할 수 없는 무언가에 관해 많이 배운다. 또한, 비가시적 세계의 증거가 명백히 다가온다.
잠깐 하위 물질계를 떠나 있는 것만으로 말이다.

하지만 의식이 물질계로 돌아오면 그것이 꿈에 지나지 않는다는 듯 상위의 실체를 망각한다.
의식을 잃지 않고 상위 세계에 익숙해지려면 다리를 놓아야 한다.

아그니 요가가 상위 세계로 데려다 줄 것이다.

그들은 말할 것이다. 요가 수행자가 고통을 느끼는 이유가 뭐냐고.
그것은 이 세상의 짐 때문이다.
우주의 리듬을 어기지 않는 곳에서는 고통이 필요 없다.

다가오는 파동에 확실한 형태를 부여하려면 요가 수행자는 자신을 둘러싼 원에 더 동조하는 게 좋다.

내가 조화를 말할 때, 민감성만 생각하는 게 아니라 유용한 건설 작업을 지적하는 것이다.

하이어라키는 정확한 법칙들에 근거를 둔다.
그 법칙들을 깨달은 우리는 이 빛의 사다리를 보호하는 책임을 진다.

하이어라키 구조를 두뇌에 대한 설계도로 이해하려면 이것을 끊임없이 반복해야 한다.

 우주적 에너지의 축적은 영에 대한 인간의 방해에 상응한다. 그러한 우주적 상응성 동안 그 방해는 하이어라키라는 강력한 수단으로만 해결할 수 있다.

 혼란된 에너지로 우주를 가득 채우면서
 연쇄적인 사건들이 오래된 토대들을 파괴할 때

 모든 에너지를 새로운 건설 작업으로 몰고 가는 힘이 필요하다.

 하이어라키는 출발하는 에너지를 빛나는 미래로 변화시키는 연결 고리다.

 이 세상에
 하이어라키는 우주적 차원의 확언이다.

우주에 있는 모든 것은 강력한 하이어라키의 차원들로 묶여 있다.

따라서 모든 에너지는 서로 묶여 있다.

가슴의 실은 하이어라키로 연결되어 있다.

이 위대한 끈이 우주적 물질을 확고히 할 것이다.

새 인종이 등장할 때, 그들을 등장시키는 건 대제사장이다.

인류를 위한 새로운 단계가 마련될 때 그 단계를 마련하는 건 대제사장이다.

우주 자석에 따라 미리 운명 지어진 단계가 중요한 리듬에 따라 마련될 때, 대제사장이 선두에 선다.

현현의 씨앗 속에 그것의 대제사장을 포함하지 않는 생명의 현현은 없다.

단계가 강력할수록
대제사장도 그만큼 강력하다.

평화 지음 / 15,000원 (2018.03.22)

성공에 대한 비밀을 알고 싶었던 사람들은
『시크릿』을 읽음으로써 소원을 달성하는 방법을 알고자 하는,
이른바 '시크릿'의 염원을 품었다.
하지만 『시크릿』과 같은 자기 계발 서적에는
독자가 원하는 '구체적으로 소원을 달성하는 방법'을
제시하는 것이 거의 없었다.
저자는 '시크릿'과 소원 성취에 관한 구체적인 방법을
일반인에게 제시한다.

Elizabeth Towne, 정재훈 지음 / 15,000원 (2021.07.30)

당신은 지금, 이미 성공한 사람입니다.
당신은 당신이 되려고 하는 모든 것입니다.
당신의 소원, 성공은
이 책을 참고하여 올바른 의지를 세우는 순간,
이미 달성되었습니다.

매직머니 추천도서

William Walker Atkinson, 정재훈 지음 / 10,000원 (2021.11.05)

생각은 물질이다.

존재는 자신이 가진 생각 그 자체다.

사업은 자신의 선한 상념을 물질계에 구현하는 신성한 행위다.

당신은 당신만의 현실을 창조하고 있다.

당신은 무언가를 두려워할 필요가 없는 존재다.

본서에서는 딱딱한 이론적 설명을 최대한 배제할 것이다.

실질적인 체험, 결과를 바탕으로 지금 당장 활용할 수 있는 방법을 제시한다.

William Walker Atkinson 지음 / 10,000원 (2022.02.14)

나의 유일한 목적은 인간 내부에 잠재하는 강력한 포스들(개인적인 자기력, 심령적인 영향력)을 계발하고 효과적으로 사용하는 수단을 알리는 것이다.

자신에게 나는 영원한 삶의 원리 일부분이라고 말하라.

신성한 이미지를 따라서 창조되었다고 말하라.

생명의 신성한 숨결로 가득 차 있다고 말하라.

아무것도 나를 해칠 수 없다.

나는 영원의 일부이기 때문이다.

『상념 포스의 활용』의 토대가 된 1900년 作 원문번역본

OCCULT SCIENCE

초월적 삶

Joseph S. Benner
번역 질은별 외

Joseph S. Benner 지음 / 12,000원 (2022.01.18)

이 책에 시선을 둔 그대에게, 나는 말한다.

영혼이 지치고 낙심하여 거의 희망이 고갈된 그대여.

나는 그대, 그대의 신성한 자아, 내부의 영, 그대의 영혼, 초월적 자아 곧 진정한 그대다.

이 책에 담긴 깊고 생명력 충만한 진리를 더 잘 이해하려면 고요하고 열린 마음으로 접근해야 한다.

지성을 잠재우고 그대의 영혼을 초청하여 가르침을 행하게 하라.

그대, 함께 할 준비가 되었는가?

OCCULT SCIENCE

에 텔 체
ETHERIC DOUBLE

A.E. 포우웰 저 / 김동민 옮김
한사랑 역주 / 카즈머스 감수

Magic
Money

A.E. 포우웰 지음 / 13,000원 (2022.02.23)

치유와 죽음은 왜, 어떤 원리로 일어나는가?
전기 에너지와 경락의 흐름은 프라나(Prana), 쿤달리니와 어떤 연관
이 있으며 침, 뜸의 효과는 어떻게 설명되는가?
보이지 않는 무엇이 있을까?
이를 밝힌다.

1925년에 발행된 인간의 내부 구조를 주제로 한 5부작 중 첫 번째

C.W. Leadbeater, Annie Besant 지음 / 15,000원 (2022.04.01)

생각은 실체를 가지고 있다.

우주의 법칙에 따라 아름다운 색채의 향연으로 우리 앞에 모습을 드러낸다. 살면서 품게 되는 모든 생각과 상상은 현실에 지대한 영향을 미친다.

생각이 물질계에 표현되는 방식과 원리를 알고, 지극히 작은 자신의 상념 한 조각조차도 거대한 결과를 이루는 씨앗임을 깨닫는다면

앞으로의 인생의 목표, 삶의 방향은 놀랍도록 바뀔 것이다.

C.W. Leadbeater 지음 / 11,000원 (2022.02.08)

단순 투시

단순히 눈이 뜨임으로써 주변에 있는 아스트랄 혹은 에테르 질료의 물체를 무엇이든지 볼 수 있게 되는 것. 현재 이외의 다른 어떤 시간에 속하는 장소나 광경을 보는 능력은 포함되지 않는다.

공간 투시

투시자로부터 공간적으로 떨어진 광경이나 사건을 보는 것. 보통의 눈으로는 볼 수 없을 정도로 매우 멀리 있거나 장애물에 가려 보이지 않는 대상을 투시하는 능력.

시간 투시

시간상으로 떨어진 사건이나 대상을 보는 것. 과거나 미래를 들여다 보는 능력이다.

카라 지음 / 15,000원 (2020.05.16)

온 국민이 코로나 사태로 고생하고 경제 전망도 어두운 때 희망을
선사하는 책이 나왔다. 표지와 제목은 물론 기발한 내용으로 가득 차
있다. 한국이 2022년 카타르월드컵 우승할 수 있다는 대담한 선언!

알베르트 아인슈타인이 "지식보다 중요한 것은 상상력(Imagination)
이다."라고 했는데, 저자는 상상하는 것(Imaging)과 상상력을 사용
(Imagining)하는 것은 전혀 다른 것임을 명확히 설명한다.

나와 당신의 이야기,
그리고 그림

신성 지음

신성 지음 / 15,000원 (2020.07.31)

　누구에게나 하루의 순간 중에 잠시 떠오르는 추억이나 애틋한 감정
이 있다. 저자는 이러한 감정을 놓치지 않고, 그중 선명한 한 가지를
주제로 하여 차별 있는 나만의 이야기로 정리하였다. 그리고 '벗님 카
페'라는 직장인 음악 밴드에 연재하던 글을 모아 출간하였다.

　또한, 〈나와 당신의 이야기, 그리고 그림〉의 또 다른 볼거리인 그림
은 미국에서 화가로 활동 중인 저자의 누나가 직접 그린 그림이다. 고
향에 대한 그리움을 떠올리며 그린 수채화와 정물화가 저자의 일상을
더욱 풍성하게 만들어 준다.

한사랑 지음 / 17,500원 (2022.03.20)

30년 만에 명상록을 다시 복간하면서 감회가 새롭습니다.

2022년 한국은 지난 1만 년 한국 역사를 통합하고 새로이 도약하는 시점에 도달했습니다.

한국의 도약은 지난 60년간 한국에 화신한 영적인 영혼들이 모두 깨어나는 그 에너지에 의한 것이기도 합니다.

92년 WHITE VACUUM 출판사를 만든 이후로 지난 30년간 IMF, 서브프라임, 우크라이나 전쟁을 겪으면서 한국과 세계는 문명상승과 하강의 분기점에 도달했습니다.

한국의 도약은 남북통일을 가능하게 할 것이고, 세계 전체를 다시 하나로 융합하는 에너지를 발산하게 할 것입니다.

모쪼록 앞으로 출간하는 다양한 책이 한국의 도약과 세계 평화를 완성하는 강렬한 불꽃을 발화시키는 역할을 하기를 기대합니다.

모리아 대사 지음 / 12,000원 (2022.04.29)

신과의 합일인 요가.
인도 8대 요가 중
모든 것을 변화시키는 불의 요가에 관한 책.

아그니의 생각의 불, 마음의 불, 영혼의 불로
자신의 삶과 세상을 변화시키기.

모리아 대사 지음 / 12,000원 (2022.04.29)

세상에 위계가 존재하듯이
우주에도 위계가 존재한다.
우주의 위계는 완벽과 질서와 조화로 만들어진다.
일체 모든 것, 신성과 만물을 알고자 한다면
하이어라키를 알아야 한다.

모리아 대사 지음 / 12,000원 (2022.04.29)

하늘과 땅의 모든 것이 압축된 곳
세상의 모든 고통이 존재하는 곳
세상의 모든 전쟁의 원인이 존재하는 곳
그 원인을 제거할 유일한 열쇠가 있는 곳
인류의 하트에서 정의로운 불꽃이 일어날 때
세상은 전쟁이 사라지고 평화가 정착된다.

알렉산드라 데이비드-닐 지음 / 16,000원 (2022.05.10)

한 서구 여성이 파헤친 티베트의 신비
불교의 진수가 현존하고 그 외 잡다한 종교가 난무하는 가운데
사십구재의 진정한 의미인 바르도(Bardo)의 세계 등
참된 가르침과 초월적인 능력을 터득해가는 구도의 여정

알렉산드라 데이비드-닐 지음 / 15,000원 (2022.06.16)

불교의 정수가 현존하는 땅 티벳에서 탐구한 서구 여성의 구도 기록
　제자도와 신비적인 가르침 그리고 여러 영적인 훈련 및 심령 훈련에
대해 자신이 직접 체험한 내용을 생생하게 묘사하고 있다.
　티벳의 여러 심령현상과 그에 대한 과학적인 설명을 흥미진진하게
이야기한다.

Elizabeth Towne 지음 / 8,500원 (2022.07.17)

더 행복하고, 건강하고, 균형 잡힌 삶을 살 수 있도록 도와줄 삶의
힘을 깨우는 법을 배우세요.
당신은 마음가짐과 집중을 통해 신체적, 정신적 안녕에 대한 통제력
을 가질 수 있는 능력이 있습니다.

이 책은 당신의 심리 상태를 어떻게 개선할 수 있는지 알려주며
그로 인해 당신의 삶은 송두리째 바뀔 것입니다.

앞으로의 인류의 미래는?

앞으로 인류 문명은 상승 곡선으로 나아갈 것인가?
아니면 하강 곡선을 만들면서 파멸의 구도가 전개될까?

인간의 운명도 의지가 강한 자는 바꾸는 것이 가능한데, 인류 문명의 방향성도 바꾸는 것이 가능하지 않을까?

수많은 고대 문명이 존재했었고
그러한 문명이 하루아침에 사라진 것은
파멸의 형태인가 아니면, 도약의 형태로 사라졌는가?

플라톤, 피타고라스 같은 고대 선지자와 매스터들이
퇴보하는 각 시대의 문명을 변화시키기 위해 어떻게 노력했을까?

자신과 인류의 미래를 변화시키는 것을
공부하고 연구하고 싶은 분은

sita7@naver.com (메일)
010-2231-9977로 연락해주시기 바랍니다.